Na

AG DUL GO DTÍ AN tOSPIDÉAL

Buntéacs Anne
Pictiúir Stephen C
Comhairleoir Betty Root
Aistritheoir Aoibheann Uí Chearbhaill

Tá lacha bheag bhuí i bhfolach ar gach leathanach dúbailte. An féidir leat teacht uirthi?

Muintir Bheacháin anseo. Tá Brian sé bliana agus Bróna trí bliana d'aois. Níl Brian ar fónamh. Tá tinneas cluaise air.

Dochtúir Diarmaid

Tugann Mamaí Brian go dtí an dochtúir. 'Tá an chluas go dona,' arsa Dochtúir Diarmaid. 'Tá gá le hobráid.'

San Ospidéal

Téann Brian go dtí an t-ospidéal i gcomhair na hobráide. Tá a lán páistí eile san aireagal.

Cabhraíonn Mamaí le Brian chun a chulaith leapa a chur air agus chun na rudaí a bhaint as a mhála taistil. Cabhraíonn an bhanaltra leis freisin.

Bríd an Bhanaltra

Déanann Bríd Brian a shocrú go compordach sa leaba.
Glacann sí a theocht agus braitheann sí a chuisle.

Ansin déanann sí a bhrú fola a sheiceáil le meaisín speisialta.
Scríobhann sí na torthaí ar chairt Bhriain.

Méabh an Máinlia

Déanfaidh Méabh an máinlia an obráid ar chluas thinn Bhriain. Tagann sí isteach chun é a fheiceáil agus tugann sí eolas dó faoin obráid.

Roimh an Obráid

Tugann an bhanaltra instealladh do Bhrian chun é a chur ar a shuaimhneas roimh an obráid.

Peadar an Póirtéir

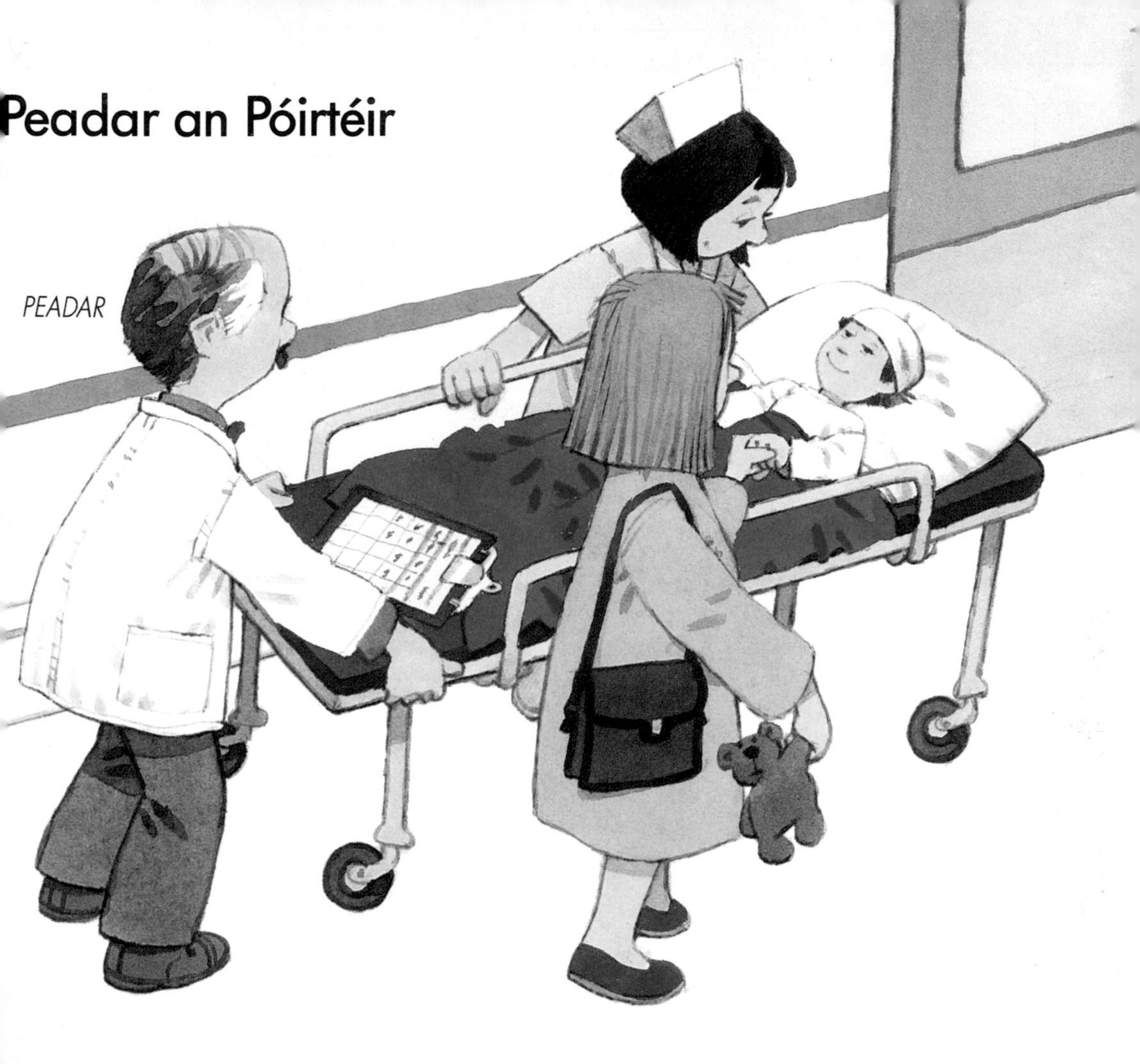

Cuireann Peadar an póirtéir Brian ar thralaí. Ansin tugann sé é síos go dtí an obrádlann.

An Obráid

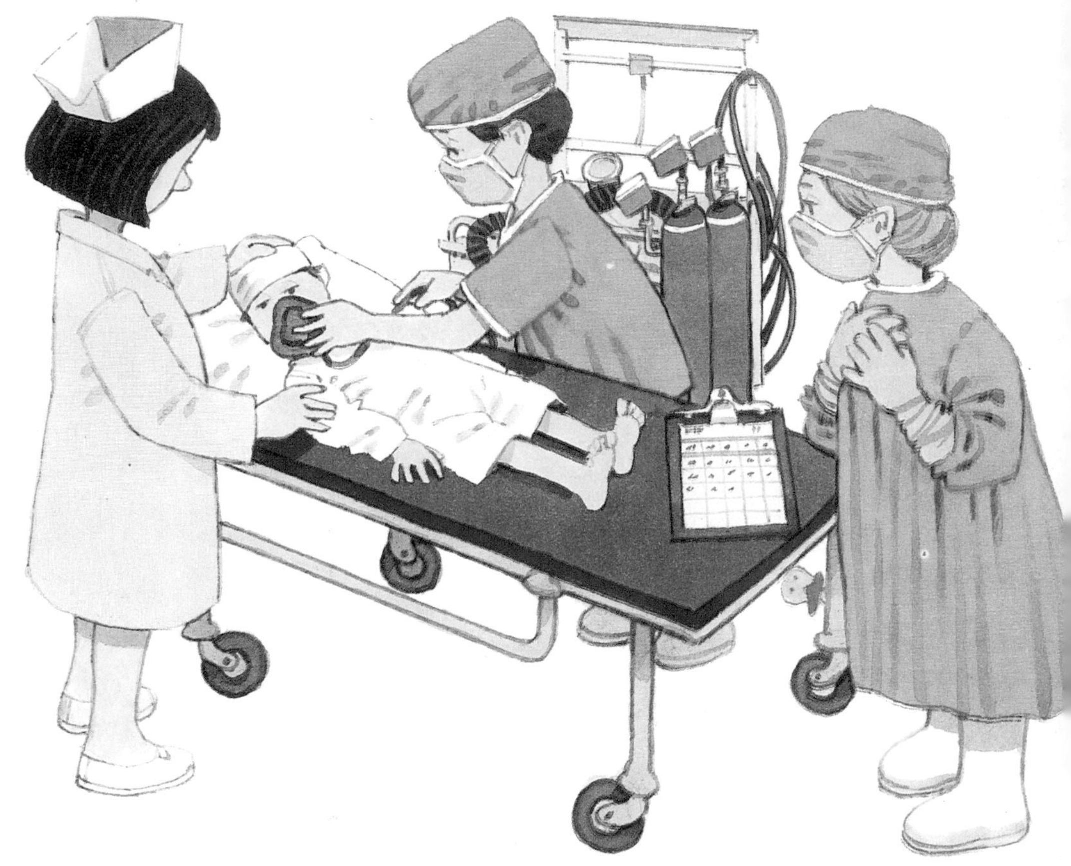

Roimh an obráid tugann dochtúir boladh an gháis do Bhrian. Beidh sé ina chodladh go sámh nuair a dhéanfaidh an máinlia an obráid ar a chluas.

Ar ais san Aireagal

ar éis na hobráide tugtar Brian ar ais go dtí an t-aireagal. Tá
onn codlata air fós ach tá feabhas mór ar a chluas.

Tá Biseach ar Bhrian

An mhaidin ina dhiaidh sin tá biseach ar Bhrian. Éiríonn sé ón leaba agus tosaíonn sé ag súgradh lena chairde nua.

Am Lóin

Itheann Brian lón breá mór. Tá an-ocras air mar níor ith sé rud ar bith lá na hobráide.

Am Cuairte

Tar éis lóin tagann Mamaí, Daidí, Mamó agus Bróna ar cuairt chuig Brian. Taispeánann Brian an chluas do Dhaidí. Tá sé an-bhródúil aisti.

Tugann Mamó carr nua do Bhrian toisc go raibh sé an-chróga
san ospidéal . Tá cuairteoirí ag na páistí eile freisin.

Ag Dul Abhaile

An lá ina dhiaidh sin tá Brian réidh le dul abhaile. Níl tinneas cluaise air a thuilleadh. Fágann sé slán ag Bláithín agus ag Méabh.

Tá áthas ar Bhróna go bhfuil Brian ag teacht abhaile. Bhí uaigneas uirthi nuair a bhí sé san ospidéal.

Arna fhoilsiú ag Gill and Macmillan Ltd
Goldenbridge
Baile Átha Cliath 8
agus cuideachtaí comhlachta ar fud an domhain

arna chlóbhualadh sa Phortaingéil